小兔子學花錢

文·圖 辛德絲·麥克勞德 Cinders McLeod
譯 顏銘新

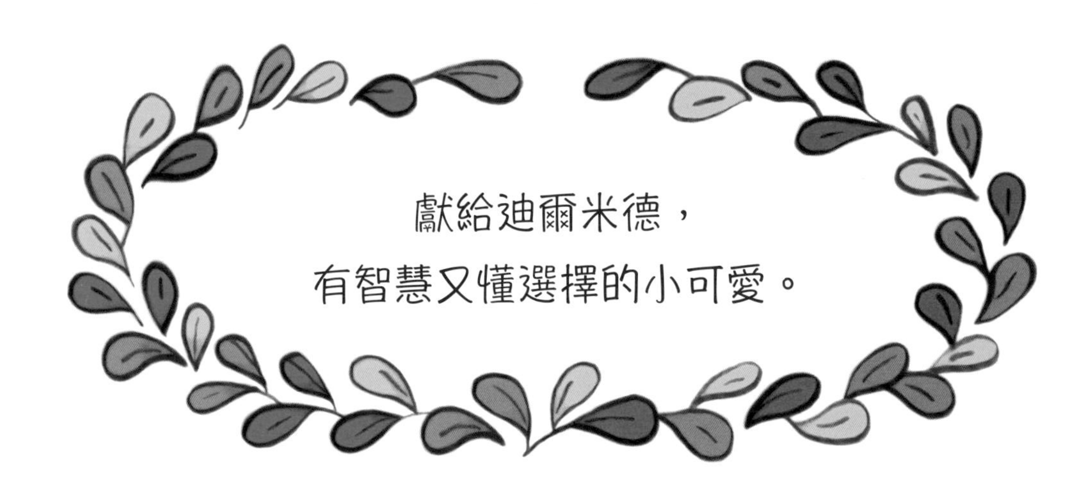

獻給迪爾米德，
有智慧又懂選擇的小可愛。

作者・繪者｜**辛德絲・麥克勞德 Cinders McLeod**

插畫家、歌手、作曲家，同時也是低音提琴樂手。辛德絲曾長期為英國《格拉斯哥先驅報》創作社會諷刺漫畫專欄《Broomie Law》，也為許多兒童刊物、商業廣告及國際知名媒體如英國《衛報》與加拿大廣播公司等繪製插畫。她的作品曾獲世界報紙設計協會、加拿大國家報紙獎等多項肯定。現今居住在加拿大多倫多。想更了解辛德絲，可以造訪她的網站：moneybunnies.com和cindersmcleod.com。

譯者｜**顏銘新**

賺錢：曾在兒童書店、金融機構和科技公司努力掙錢。
花錢：在圖畫書和青少年小說花了很多錢。
存錢：想看更多的書、聽音樂和去旅行。
分享：在北市圖當了好多年說故事志工，現在和太太吳方齡一起在小茉莉親子共讀臉書粉絲頁分享小茉莉早餐和國內外童書資訊。

這ㄓㄜˋ是ㄕˋ
← 松ㄙㄨㄥ尼ㄋㄧˊ

松ㄙㄨㄥ尼ㄋㄧˊ的ㄉㄜ媽ㄇㄚ媽ㄇㄚ →

松ㄙㄨㄥ尼ㄋㄧˊ存ㄘㄨㄣˊ零ㄌㄧㄥˊ用ㄩㄥˋ
錢ㄑㄧㄢˊ的ㄉㄜ罐ㄍㄨㄢˋ子ㄗ，
← 用ㄩㄥˋ來ㄌㄞˊ存ㄘㄨㄣˊ他ㄊㄚ的ㄉㄜ
胡ㄏㄨˊ蘿ㄌㄨㄛˊ蔔ㄅㄛ。

在兔子國裡，胡蘿蔔就是錢。

每個星期六，松尼可以拿到 3 根胡蘿蔔當零用錢。

松尼愛星期六。

全部的東西

我都想買！

全部都想買？

對啊。

我什麼都想買！

我想買我看到的玩具火箭！

我想買我看到的彈力跳跳桿！

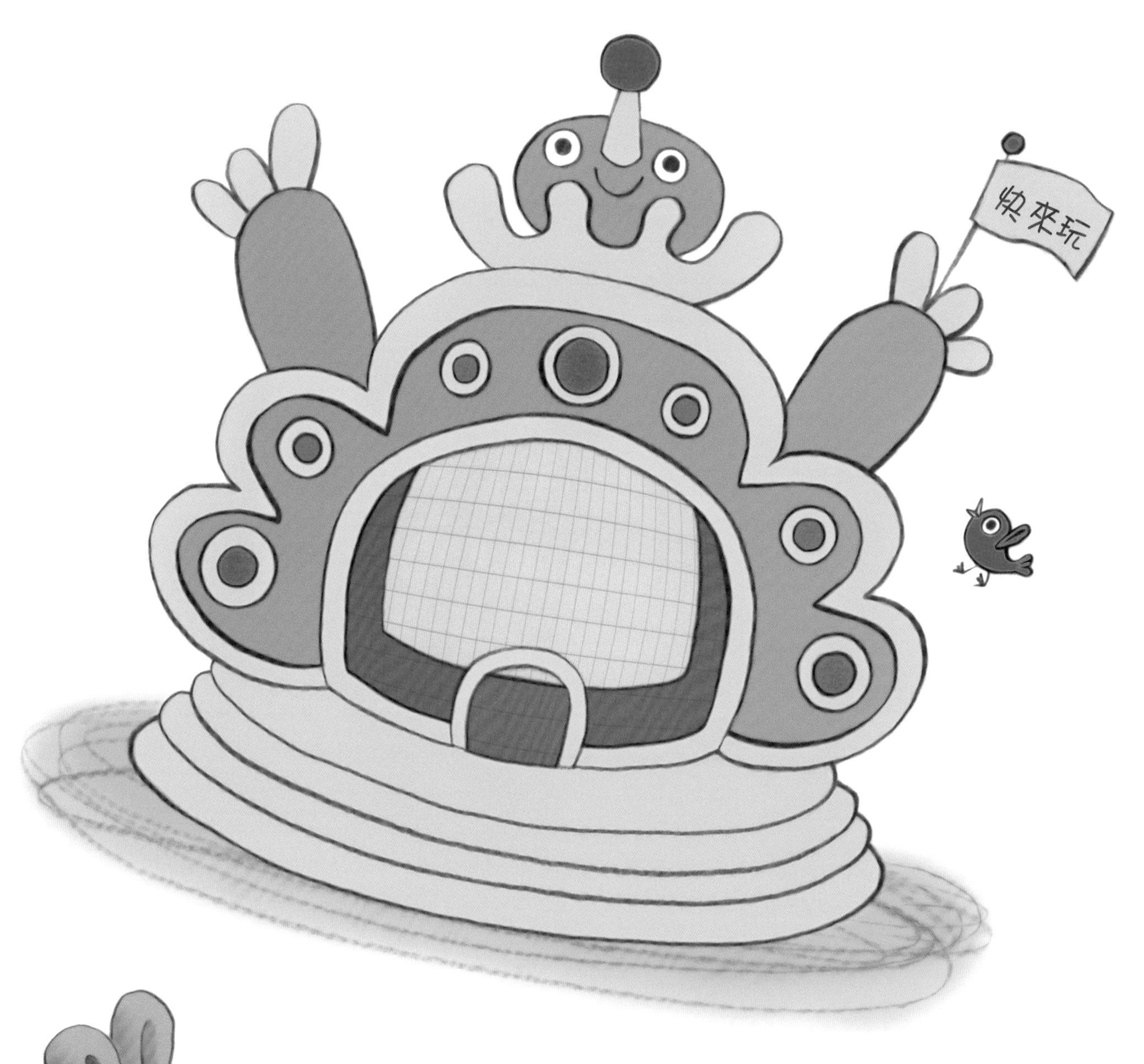

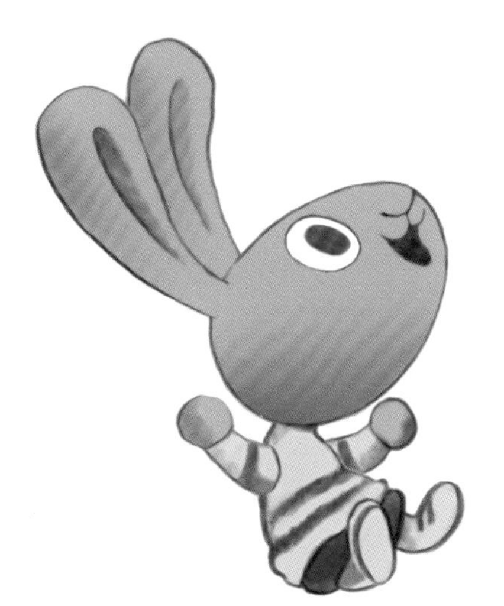

我ㄨㄛˇ想ㄒㄧㄤˇ買ㄇㄞˇ
我ㄨㄛˇ看ㄎㄢˋ到ㄉㄠˋ的ㄉㄜ
氣ㄑㄧˋ墊ㄉㄧㄢˋ城ㄔㄥˊ堡ㄅㄠˇ！

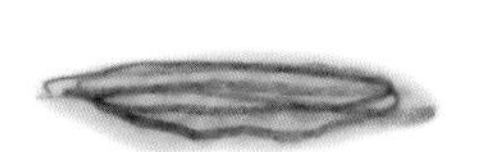

有ㄧㄡˇ個ㄍㄜˋ問ㄨㄣˋ題ㄊㄧˊ， 松ㄙㄨㄥ尼ㄋㄧˊ。
你ㄋㄧˇ每ㄇㄟˇ個ㄍㄜˋ星ㄒㄧㄥ期ㄑㄧˊ只ㄓˇ有ㄧㄡˇ
3 根ㄍㄣ胡ㄏㄨˊ蘿ㄌㄨㄛˊ蔔ㄅㄛ的ㄉㄜ零ㄌㄧㄥˊ用ㄩㄥˋ錢ㄑㄧㄢˊ，
不ㄅㄨˋ可ㄎㄜˇ能ㄋㄥˊ全ㄑㄩㄢˊ部ㄅㄨˋ都ㄉㄡ買ㄇㄞˇ呀ㄧㄚ。

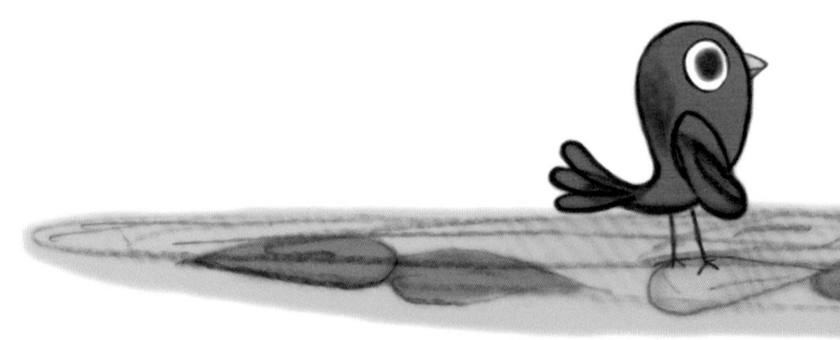

但是…… 我每一樣

都想買！

嗯，那你得想一想
到底該選哪一樣。
做選擇可以讓你
認清什麼才重要。

做（ㄗㄨㄛˋ）選（ㄒㄩㄢˇ）擇（ㄗㄜˊ）好（ㄏㄠˇ）難（ㄋㄢˊ）啊（ㄚ˙）！

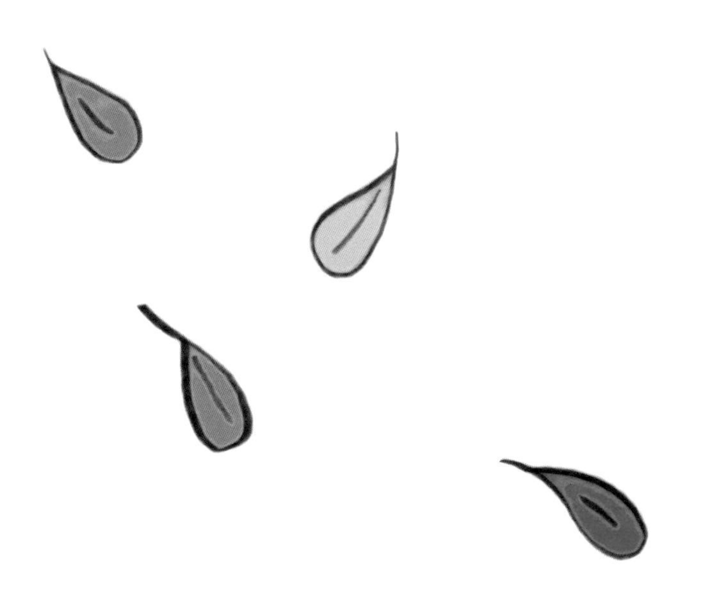

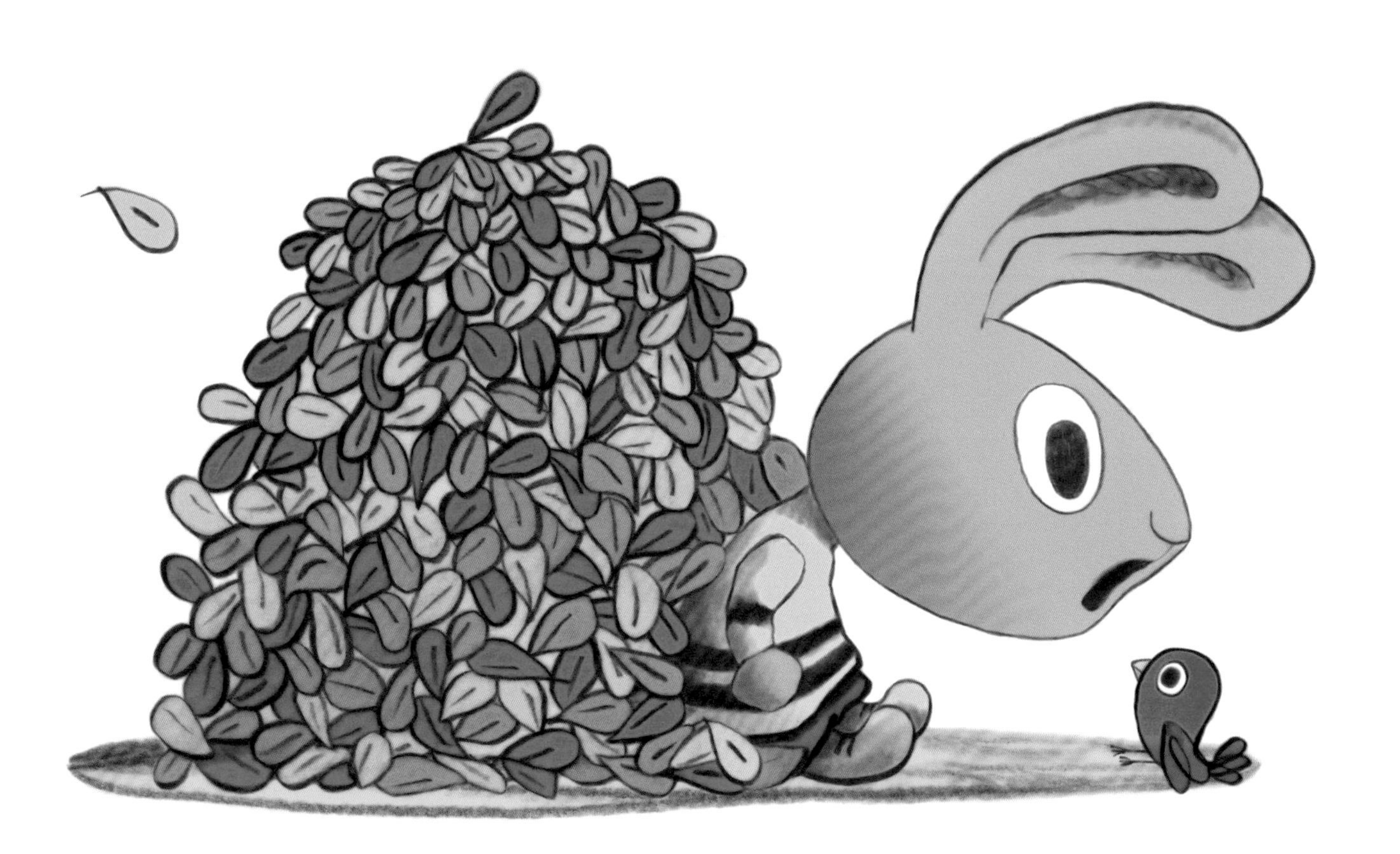

我有3根胡蘿蔔。我想買3樣東西。

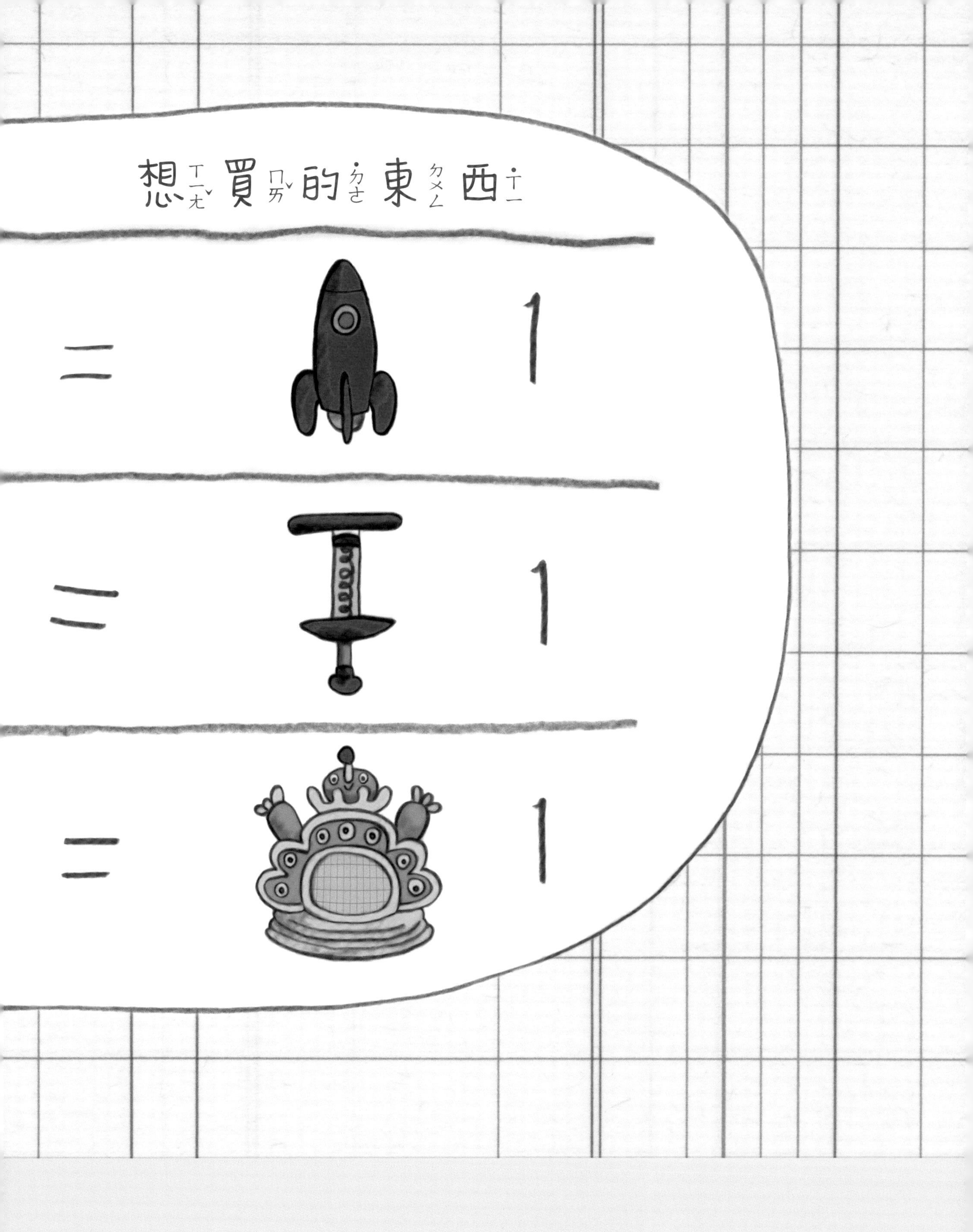

那我為什麼需要選擇呢？

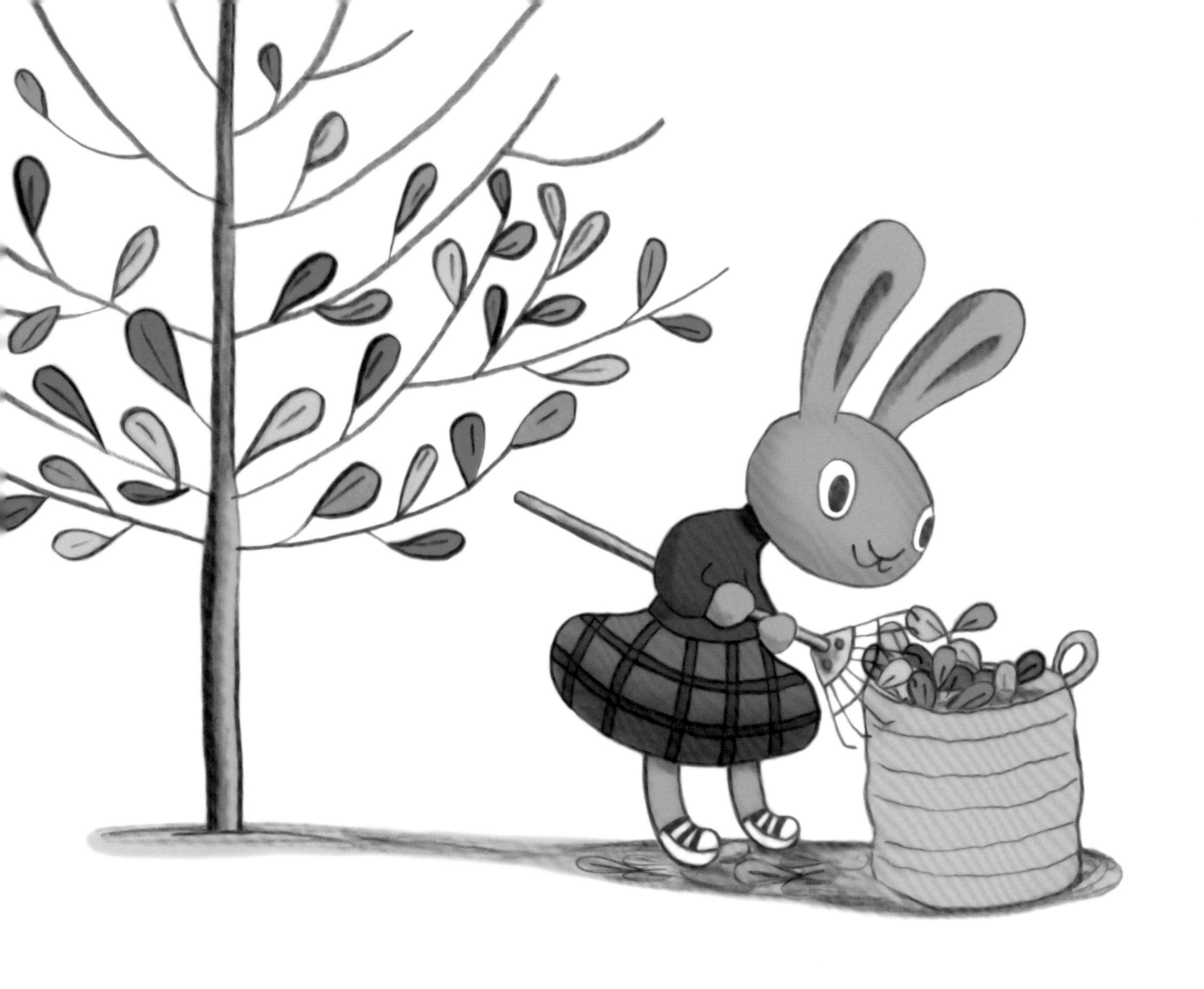

因ㄧㄣ為ㄨㄟˋ你ㄋㄧˇ想ㄒㄧㄤˇ買ㄇㄞˇ的ㄉㄜ˙

這ㄓㄜˋ3樣ㄧㄤˋ東ㄉㄨㄥ西ㄒㄧ價ㄐㄧㄚˋ錢ㄑㄧㄢˊ

都ㄉㄡ不ㄅㄨˋ一ㄧˊ樣ㄧㄤˋ啊ㄚ˙！

我ㄨㄛˇ們ㄇㄣˊ再ㄗㄞˋ一ㄧˋ起ㄑㄧˇ來ㄌㄞˊ

想ㄒㄧㄤˇ一ㄧˋ想ㄒㄧㄤˇ。

我ㄨㄛˇ不ㄅㄨˋ要一ㄠˋ
想ㄒ一ㄤˇ一一想ㄒ一ㄤˇ！

我ㄨㄛˇ只ㄓˇ要一ㄠˋ
買ㄇㄞˇ！

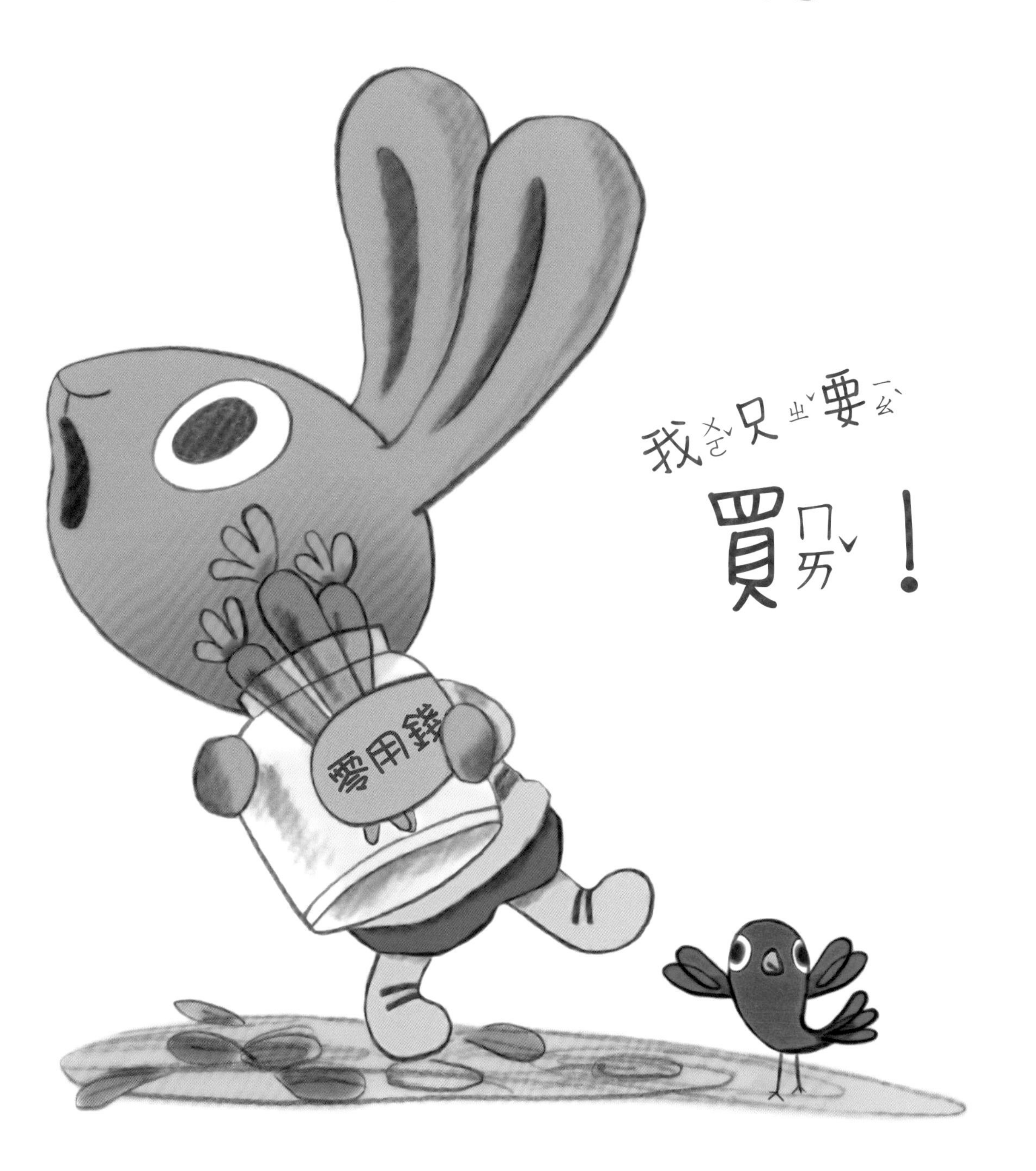

嗯，我們來想想。
你真的喜歡
玩具火箭嗎？

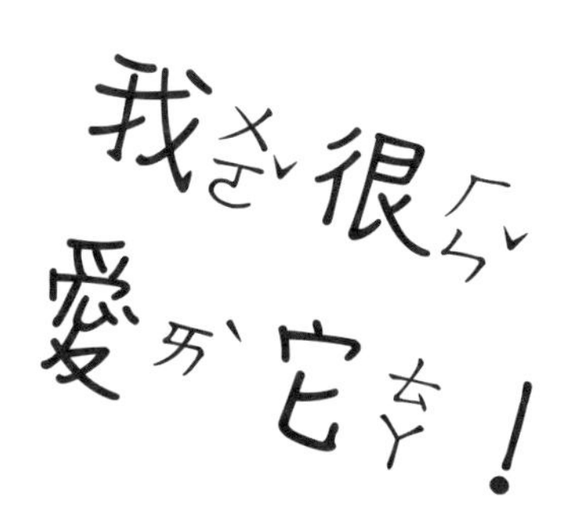

好吧。買玩具火箭要花2根胡蘿蔔。

你也真的喜歡
彈力跳跳桿？

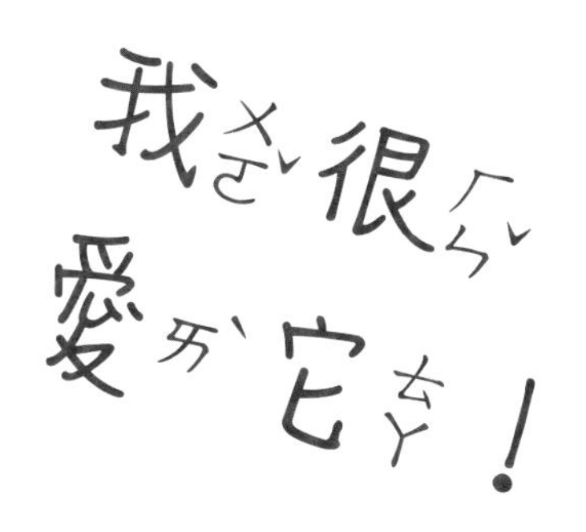

好吧。買彈力跳跳桿要花3根胡蘿蔔。

……還有，你也真的喜歡氣墊城堡？

我超愛它！

快來玩

買(ㄇㄞˇ)氣(ㄑㄧˋ)墊(ㄉㄧㄢˋ)城(ㄔㄥˊ)堡(ㄅㄠˇ)要(ㄧㄠˋ)花(ㄏㄨㄚ)

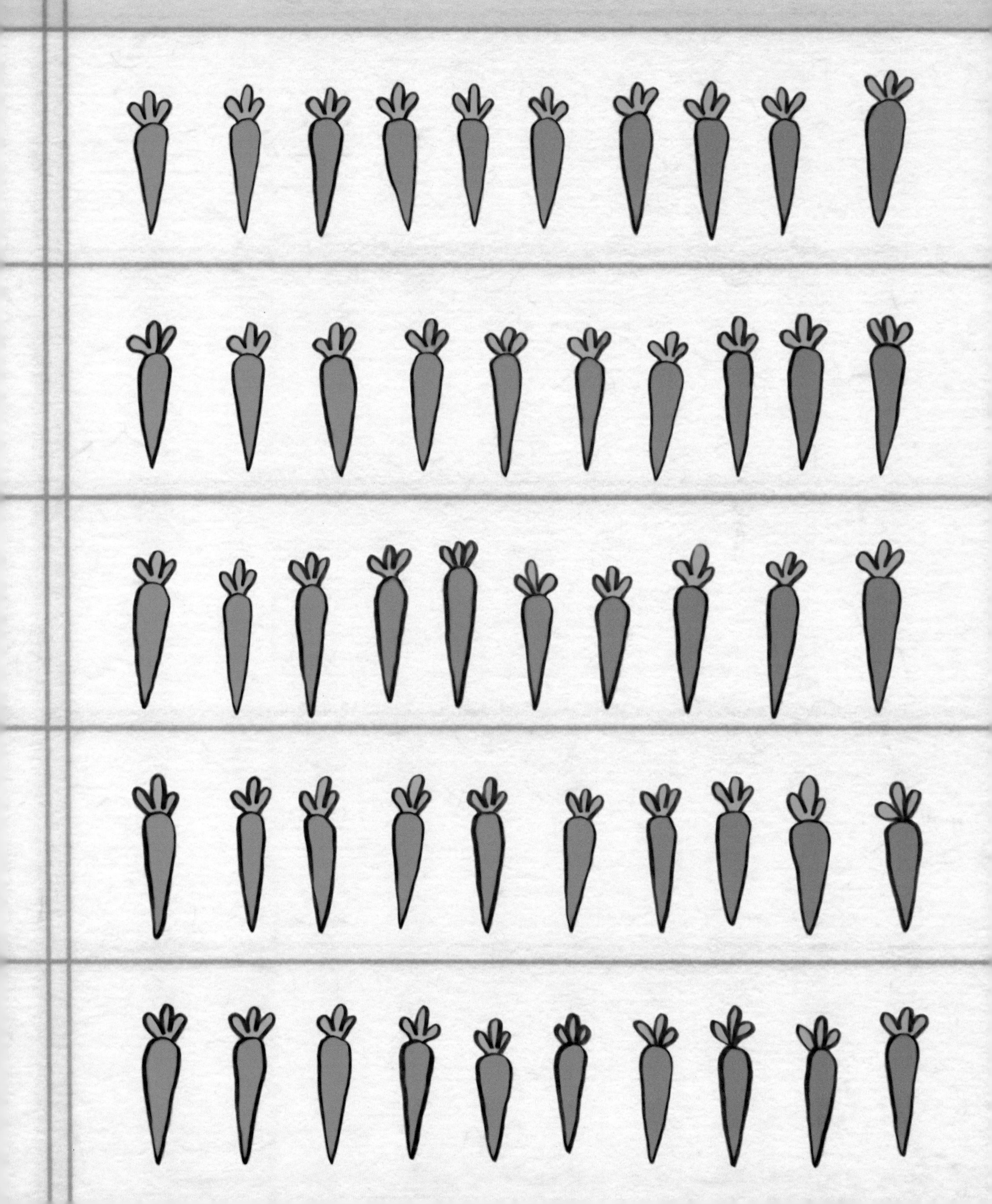

100根胡蘿蔔。

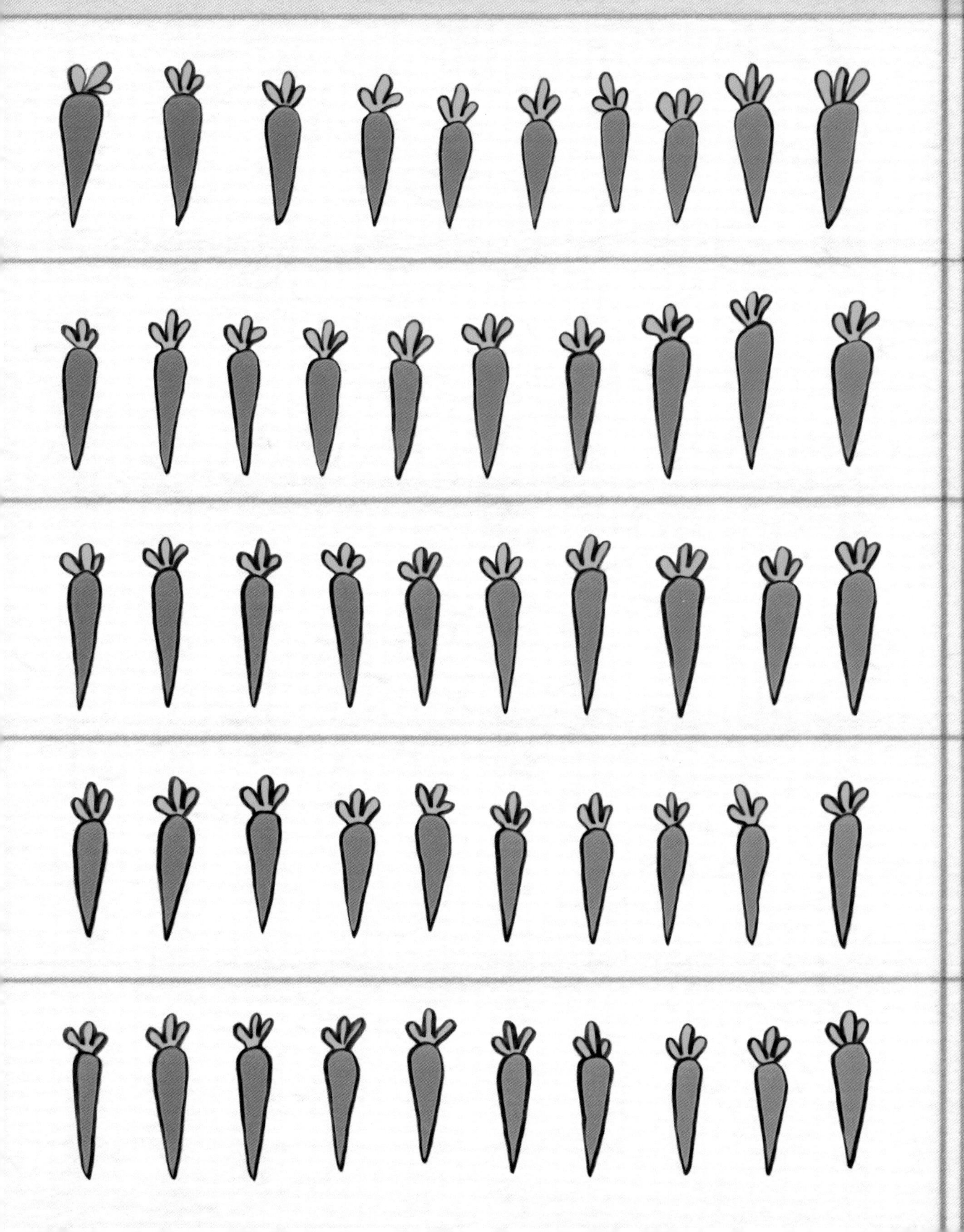

這太誇張了啦！

嗯……對於那些
有100根胡蘿蔔，
又沒有其他東西要
買的小兔子來說，
這一點也不誇張啊。

還是很誇張！

算了，不買氣墊城堡了。

那你還要再買
玩具嗎？
你已經有很多
玩具了。

也對，那玩具也算了。
嗯，那我的 3 根胡蘿蔔
到底能買什麼呢？

對了！我可以買

彈力跳跳桿！

太棒了！
聽起來
你已經選好了。
我們要不要現在
就去玩具店？

哇！松尼，你越來越
懂得運用金錢了。

沒ㄇㄟˊ錯ㄘㄨㄛˋ！　我ㄨㄛˇ懂ㄉㄨㄥˇ得˙ㄉㄜ聰ㄘㄨㄥ明ㄇㄧㄥˊ的˙ㄉㄜ花ㄏㄨㄚ錢ㄑㄧㄢˊ……

而且，我超愛它！

啵ㄅㄛ砰ㄆㄥ～啵ㄅㄛ砰ㄆㄥ～啵ㄅㄛ砰ㄆㄥ！

知識繪本館

小兔子學理財2 小兔子學花錢

Spend It! (A Moneybunny Book)

作者｜辛德絲・麥克勞德 Cinders McLeod　譯者｜顏銘新
責任編輯｜戴淳雅　特約編輯｜堯力兒　美術設計｜李潔　行銷企劃｜陳詩茵

天下雜誌群創辦人｜殷允芃　董事長兼執行長｜何琦瑜
媒體暨產品事業群
總經理｜游玉雪　副總經理｜林彥傑　總編輯｜林欣靜
行銷總監｜林育菁　主編｜楊琇珊　版權主任｜何晨瑋、黃微真

出版者｜親子天下股份有限公司　地址｜臺北市104建國北路一段96號4樓
電話｜（02）2509-2800　傳真｜（02）2509-2462　網址｜www.parenting.com.tw
讀者服務專線｜（02）2662-0332　週一～週五 09:00~17:30
讀者服務傳真｜（02）2662-6048　客服信箱｜parenting@cw.com.tw
法律顧問｜台英國際商務法律事務所・羅明通律師
製版印刷｜中原造像股份有限公司
總經銷｜大和圖書有限公司　電話（02）8990-2588

出版日期｜2021年1月第一版第一次印行
2024年7月第一版第十四次印行
定價｜320元　書號｜BKKKC164P　ISBN｜978-957-503-710-9（精裝）

訂購服務
親子天下 Shopping｜shopping.parenting.com.tw
海外・大量訂購｜parenting@cw.com.tw
書香花園｜台北市建國北路二段6巷11號　電話（02）2506-1635
劃撥帳號｜50331356　親子天下股份有限公司

立即購買 >

國家圖書館出版品預行編目資料

小兔子學理財 2：小兔子學花錢 /
辛德絲・麥克勞德 Cinders McLeod 文・圖；
顏銘新 譯/
-- 第一版. -- 臺北市：親子天下，2021.01
40 面；20.3X26.7 公分. --
譯自：Spend It! (A Moneybunny Book)
978-957-503-710-9（精裝）
1.理財 2.生活教育 3.繪本
563　109019702